31 jours de tournage
Textes et illustrations © Cyril Doisneau, 2015
© Les Éditions de la Pastèque, 2015

Les Éditions de la Pastèque
C.P. 55062 CSP Fairmount
Montréal (Québec) H2T 3E2
Téléphone : 514 502-0836
www.lapasteque.com

Infographie : Stéphane Ulrich
Révision : Céline Vangheluwe et Sophie Chisogne

Dépôt légal : 3e trimestre 2015
Bibliothèque et Archives nationales du Québec
Bibliothèque et Archives Canada
ISBN 978-2-923841-75-5

Nous reconnaissons l'appui du gouvernement du Canada.
We acknowledge the support of the Government of Canada.

**Conseil des Arts   Canada Council
du Canada   for the Arts**

Nous remercions le Conseil des arts du Canada de son soutien.
L'an dernier, le Conseil a investi 153 millions de dollars pour mettre de l'art
dans la vie des Canadiennes et des Canadiens de tout le pays.

We acknowledge the support of the Canada Council for the Arts,
which last year invested $153 million to bring the arts to Canadians
throughout the country.

Nous reconnaissons l'aide financière du gouvernement du Québec
par l'entremise de la Société de développement des entreprises
culturelles (SODEC) pour nos activités d'édition.

Gouvernement du Québec – Programme de crédit d'impôt
pour l'édition de livres – Gestion SODEC.

Nous reconnaissons l'aide financière du gouvernement du Canada
par l'entremise du Fonds du livre pour nos activités d'édition.

—

**Catalogage avant publication de Bibliothèque et
Archives nationales du Québec et Bibliothèque et Archives Canada**

Doisneau, Cyril, 1978-
  31 jours de tournage
  Bandes dessinées.
  ISBN 978-2-923841-75-5
  I. Titre. II. Titre : Trente et un jours de tournage.
PN6734.T73D64 2015   741.5'971   C2015-941410-5

31 JOURS DE TOURNAGE

CYRIL DOISNEAU
LA PASTÈQUE

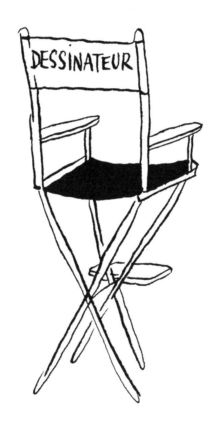

Voici ce que vous verrez
à l'écran.
Tournez la page pour
découvrir ce que cache
le cinéma !

coiffeur
et
maquilleuse

la régie

ma

Fiesta ↑

Scripte

graphe
ateau

éclairagiste

accessoiriste
de plateau

directeur
photo

DESSINATEUR

RÉALISATEUR

clapman

1re assistante
à la réalisation

Tryphon Bouvier

Tout a commencé aux réunions de prod.

Je découvre tous les personnages que je vais dessiner pendant 2 mois.

Je vais devoir les apprivoiser, personnellement et graphiquement.

Il y a des visages plus faciles que d'autres à dessiner.

Certains ont des traits plus caricaturaux.

Je dois capter les formes, les caractéristiques.

Il a fallu que je capte François rapidement, c'est le réalisateur - je vais le dessiner beaucoup.

Il a le même crâne que le professeur Tournesol.

Jamais 2 sans 3

Derrière un film, il y a toute une équipe. La personne la plus importante, après le réal, c'est elle!

1re assistante à la réalisation

Pas de film sans la 1re assistante à la réalisation.

EN GRÈVE

HELP!

Elle dirige l'équipe sur le plateau et assiste le réal, comme son nom l'indique.

OUI LÀ!

ALLEZ !!!

En réunion de prod je me souviens qu'elle savait TOUT sur chaque scène.

le lieu, le décor, le nombre de figurants...

Pour les autos d'époque, c'est bon?

OUI c'est OK

chef Décorateur

...chaque personne de l'équipe ou presque.

Vous, vous êtes qui ??

Je suis ici pour réaliser un livre sur le tournage du film.

En bande dessinée.

Pour La Pastèque.

SUPER IDÉE! J'aime ça au boutte!

Par la suite, et jusqu'à la fin du tournage, elle m'appellera "Pastèque".

Tiens, voilà Pastèque!

Il y a aussi une 2e assistante à la réalisation.

TOC
TOC

Entrez

C'est plutôt une job administrative, dans les papiers toute la journée.

Bonjour, j'aurais besoin des horaires pour demain

Voilà

Elle organise chaque jour de tournage. LO-GIS-TI-QUE.

Pour demain on a un 6/6

OK.

Pfff.

Explication: 6/6

6/6 =
6h de travail
1h de pause
6h de travail

Il y a aussi
5/5, 5/6
4/3 ...

Elle a toujours des enveloppes pour tout le monde.

La feuille de route de la journée.

Alors, la journée de demain ici.
Le plan là.
Et le menu
Là

Elle est souvent en arrière du plateau, dans les bureaux.

SILENCE, ON TOURNE!
OUAIS BEN ICI C'EST SILENCE, ON BOSSE.

Et puis des fois elle nous rend visite sur le plateau.

HA, HA c'est moi

Pas de film sans elle.

2

Apprenons à dessiner Paul

Panel 1: On a tous eu déjà l'envie de dessiner notre héros préféré.

Panel 2: Eh bien, aujourd'hui vous allez réaliser votre rêve.

Absolument.

Panel 3: Nous allons apprendre à dessiner Paul.

Yé!

Panel 4: Pour l'occasion, j'ai l'immense plaisir d'accueillir...

Panel 5: ... Michel Rabagliati, l'auteur de la série Paul.

Ici.

Allô.

Panel 6: Alors Michel, Paul c'est un peu vous? En plus grand et plus mince.

Panel 7: Dites-nous Michel, de quoi avons-nous besoin pour dessiner Paul?

Panel 8: N'importe quel outil avec de l'encre. Un simple pinceau + de l'encre fera la job.

Panel 9: Alors, mettons-nous en place sans plus tarder!

①

Adoptons une bon-
ne position pour
dessiner.

certains
dessinent
comme
ceci.

D'autres comme cela.

Aujourd'hui, ce sera
ainsi.

encre

pinceau

Astuce

2 clous
maintiennent
l'encrier

Revenons à Paul.
Il a un visage ovale.

Les sourcils épais
en forme de "Z".

Deux points pour
les yeux.

Un triangle courbé
pour le nez.

Sa bouche sera
un seul trait.

Et quant aux oreil-
les, un tourbillon.

②

Grâce à cette base, nous pouvons décliner à souhait le personnage.

Jeune

Ado

20 ans

On peut aussi l'imaginer plus vieux.

Adulte

Grand-père

Alors voilà, vous savez tout et vous pouvez maintenant dessiner Paul!

Terminées, les files d'attente interminables pour espérer une dédicace.

Signez vous-même votre livre! La Pastèq

Alizé

Panneau 1: Alizé, c'est la coordinatrice du projet carnet de tournage.
(KESKIFOU)

Panneau 2: Elle est toujours là.
Hello! désolé du retard.
Ready?
J'appelle un taxi.

Panneau 3: C'est elle qui gère l'emploi du temps pour ma présence sur le tournage.
Faut passer à Nota Bene, j'ai oublié ma plume.

Panneau 4: C'est un peu ma secrétaire en fait.
Alizé! Alizé?
Il me faudrait du papier pour la scène de demain.
Et des huiles!

Panneau 5: Elle est partie avant la fin du tournage. Fin de contrat...
Alizé?
Alizé?
mes huiles

Panneau 6: Je me retrouve tout seul pour les déplacements.
Radio Haïti Bonjou

Panneau 7: On n'a pas fait de gros party pour son départ, elle était malade.
Bon retour!

Panneau 8: Quand elle est partie elle n'a pas pu embrasser les gens.
J'ai une conjonctivite
c'est super contagieux

Panneau 9: Alors on s'est dit "bye" en faisant semblant de se serrer la main.
salut
salut merci!

Vélo volé

Dansons !

Trucage 1

Et on y voit que du feu!

À l'imprimerie

Dans *Paul à Québec* Roland a un chien, Floffy. Il y a donc eu un casting de chiens !

C'EST QUOI TOUS CES CLÉBARDS DANS MON BUREAU !

? prod

(Doucement Biscotte)

GRRR

oui vilain monsieur

Ils ont retenu 2 chiens pour le tournage.

HAUT

Fiesta & Tapee

Et pour le prix il y a 2 dresseuses avec les chiens.

Ça coûte super cher alors on ne refait pas systématiquement la scène.

Dès que le chien réussit la scène il a un sucre.

(Bieeen Fiesta)

Après chaque scène c'est repos dans sa loge.

Tout le monde adore Fiesta et Tapee. Ce sont des stars !

un autographe S.V.P. Fiesta

Chacun son joujou

Sur le plateau on a tous notre jouet. Maïté c'est le méga-phone.

Pierre, lui, en a plusieurs.

Un énorme objectif...

... et un boîtier silencieux pour ne pas faire de bruit quand ça tourne.

la caméra est isolée avec de la mousse

François, lui, il a un écran de contrôle.

Il regarde la scène qui est en train de se tourner. On a tous envie de jouer avec, nous aussi.

Il l'emporte partout avec lui, parfois dans des situations extrêmes.

Là

la caméra est dans l'auto

Moi mon jouet c'est mon carnet.

Les acteurs ont leurs cellulaires.

Et les enfants, ils ont les deux chiens, Fiesta & Tapee!

Être discret, capter la personne en un trait sans se faire repérer

Bip Bip

swip

Tout le monde est content.

Le preneur de son

Ça m'a toujours fasciné ce boulot!

Ça doit tellement être fatigant d'avoir les bras en l'air toute la journée.

Et puis faut pas qu'il soit trop proche ni trop loin des acteurs.

MICRO! COUPEZ.

Là

Et surtout pas dans l'champ.

Un jour je l'ai surpris en train de parler à son micro.

En poil pour l'hiver →

D'accord mais sois poli avec moi simon...

Il m'a fait de la peine. Il disjoncte le pauvre.

Bon ok j'y vais. Tu vois que tu peux être aimable quand tu veux!

En fait il ne disjoncte pas du tout! Il parle à son acolyte qui reçoit le son dans son van!

Ils communiquent tous les 2 par micros!

ÇA VIENT

ALORS, CE CAFÉ!

Des fois il fait une petite pause.

zzz

MAIS! il est FROID ce café

Mais même en pause il entend TOUT!

j'ai le bruit d'une chasse d'eau

on la refait!

On est logés à Lévis avec l'équipe.
HÔTEL
Les acteurs sont à Saint-Nicolas avec plus d'étoiles et un golf en prime.
François lui se loge dans son camion.
Notre hôtel est au milieu d'un carrefour passant et bruyant.
JUICY
OIL
BIG
HOTEL
Un resto se démarque, on tente!
C'est pour le lounge? Le bar? Le resto? Le gym?
Pour manger.
En fait, c'est comme si on mangeait dans un club...
Un tartare pleaze
Les jours suivants j'essaie un endroit plus simple et accueillant.
SAIGNANT
J'attends mon plat 30 minutes...
Désolée, le bien-cuit c'est long.
J'avais pris saignant...
Pas de trouble! Je le renvoie.
C'sera pas long!!

Il est 6h... DEBOUT !!!

La journée commence avec le buffet de l'hôtel.

TOUCHE PAS AUX ŒUFS...

Les habitués connaissent les bons plans.

Salut moi c'est Alain, t'es sur le film aussi ?

Oui, je fais un livre sur le tournage.

super!

Tu veux un lift l'artiste ? Je vais sur le plateau.

OK.

On dirait qu'il va pleuvoir !

Dis pas de malheur !!

Je suis le gars qui fait la fausse pluie sur le tournage alors s'il pleut vraiment mon contrat s'arrête.

Arrivés sur le plateau au bord du fleuve, il fait froid mais il ne pleut pas !

Tout le monde vient se mettre à l'abri sous la tente régie.

On se met en place, on va tourner la scène sans la pluie, il fait assez froid comme ça !

 zZZ

Un matin je me lève très tôt pour assister au maquillage.

Les acteurs arrivent directement de leurs chambres par ici

François Létourneau est le premier.

BON MATIN!

Habillage en Paul

Il pleut

Maquillage

PAUL

Coiffure

Départ pour le plateau.

Tout le monde est trempé et on doit repasser par la case maquillage!

Paul à la plage HA HA!

Même les chiens.

Figuration

1989, première expérience en figuration sur le tournage de La Baule-les-Pins de Diane Kurys. J'ai 11ans.

> Faut que t'enlèves tes lunettes elles ne sont pas d'époque...

> HA!

J'ai passé l'après-midi sur la plage à voir seulement le bout de ma pelle.

> P'tain!! Nathalie Baye est là

À Montréal, j'ai refait de la figuration, mais avec des verres de contact.

Brooklyn 1970

Je dessine entre les prises

Accessoiriste

> Il est pas d'époque ton carnet?

> Nan

> Tu le caches quand on tourne hein?

> OK.

Pour Paul à Québec il y a eu quelques figurants, à l'église notamment. Pour la plupart ils faisaient vraiment partie de la famille de Roland.

Pour la scène où Paul reconnaît Réal qui est en dédicace sur Saint-Laurent, là aussi il y a quelques figurants.

← Réal Godbout et Pierre Fournier

On tourne cette scène un matin d'octobre, il ne fait chaud.

café →

J'observe une figurante qui refait la scène toute la matinée.

Son parcours

Saint-Laurent

Tournage

Je ne sais pas si on la verra dans le film, mais au moins on la voit dans le livre.

ici →

30

CLAPMAN

Pour chaque scène le claquiste est IN-DIS-PEN-SABLE.

pinces à linge

lentilles

Paul

ruban de toutes les couleurs

Son "CLAP" permet de synchroniser le son et l'image de chaque scène.

cadré.

Scène 18 sur 1 première

Steve

Paul

ACTION!

↑ François

Pour le film, sa claquette est violette, à l'effigie de Paul. Il en est fier.

Paul Québec

Pour chaque scène il inscrit sur le CLAP le numéro de la scène, le nombre de prises ET...

...Le numéro de la lentille utilisée. En plus du CLAP il s'occupe des lentilles pour la caméra.

Lentille 50! ← Steve

ça coûte super cher!

50

Elles sont stockées dans une boîte Fragile.

Il apporte la lentille choisie par Steve (le directeur photo), à Guillaume, l'assistant-caméraman qui la met en place ici

Tiens

Guillaume

On va prendre la 75 en fait.

Steve

ON VA PRENDRE LA 75 EN FAIT!

oui pas de problème

Bon, ses journées ne sont pas toujours comme ça, il a ses moments de joie aussi.

↑ Steve

producteur

Péal

clapman

Le matin on tourne un plan d'ensemble de la maison de Roland.

Moteur Action

Scène 22 première

ACTION!

On a refait la scène 22 12 fois ce matin-là.

Automne

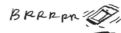

BRRRpr

Entre
chaque
prise

Le père

Michel Rabagliati est venu nous rendre visite aujourd'hui.	Il est surpris de voir autant de monde réuni pour un film.	Michel fait le tour du plateau et salue chaque personne.

Allô! MICHEL! (MÊME GARDE-ROBE)

Allô Cyril! T'as vu l'équipe!

François je suis ton père

Ça doit faire tout drôle de voir son œuvre reconstruite pour le cinéma.	On a eu la visite de sa fille aussi.	Et de son père !

HA HA !!

Rose ? Nan. Alice.

C'est toi qui joues le rôle d'Alice ? Oui. Alors je suis ton grand-père.

Michel donne quelques conseils au réalisateur.		

Bon François, pour cette scène tu fais semblant de dessiner.

François, ça se voit que tu fais semblant ! Ça marche pas.

Bon, je vous laisse travailler. Je vais retrouver mon atelier et continuer le prochain Paul !

CASCADE

TRUCAGE 2

On ne vous montre pas tout au cinéma. Aujourd'hui, le feu!

On dirait un VRAI feu de camp mais en fait non. Intox!

Un gars l'allume et l'éteint à volonté, et à distance!

c'est en béton.

GRATTE

Fini, les allumettes.

En fait ça fonctionne au gaz.

Il coupe le gaz entre chaque prise.

Et donc entre chaque prise on se gèle. On tourne de nuit.

PCHiii

WOUF

SOUS TERRE

MOTEUR

ACTION.

WOUF

COUPEZ.

Histoires d'eau

Du matin jusqu'au soir les bouteilles envahissent le plateau.

RV 6 AM devant la prod.

Ça commence dans la van qui nous transporte à Québec pour arriver au plateau.

Des bouteilles d'eau partout !

De l'eau ?

Non ça va merci.

DESSINATEUR

Keskizont tous avec leurs bouteilles ???

On doit être 40 sur le tournage, et on boit en moyenne 2L par jour.

2L x = 4 bouteilles de 50CL x 40 personnes = 160

160 bouteilles/jour X 31 jours de tournage...

4960 bouteilles !! Il faut agir vite !

COUPEZ ! On se remet en place.

Pardon.

Suggestion pour le prochain tournage.

chacun apporte sa gourde et on met en place une fontaine.

TOURNAGE ECOLO

Les différents lieux de tournage

La maison de Paul et Lucie

MTL

Li

Montréal

o Châteauguay

Libra

La chambre

avette

chez Lisette & Roland

Québec

o Saint - Nicolas

L'église de Saint - Nicolas (On dirait un bateau.)

Séance photo au parc Jean-Drapeau.

Roland à 10 ans. Pique-nique en famille au bord de l'eau.

Superbes costumes d'époque à dessiner →

Steve et François prennent plein de photos que l'on verra dans le film.

Roland ↓

ça mitraille.

Steve finit dans l'eau

La séance se termine autour d'un repas champêtre.

Ferme ton carnet, il pleut.

WRAP

J'arrive tôt ce matin-là, je ne veux pas louper une miette du dernier jour de tournage.

Maquillage

P'tit-déj

Cimetière

← coussin caméra

La scène du cimetière, une des dernières du film. On sent l'équipe émue de la fin de cette aventure de 31 jours.

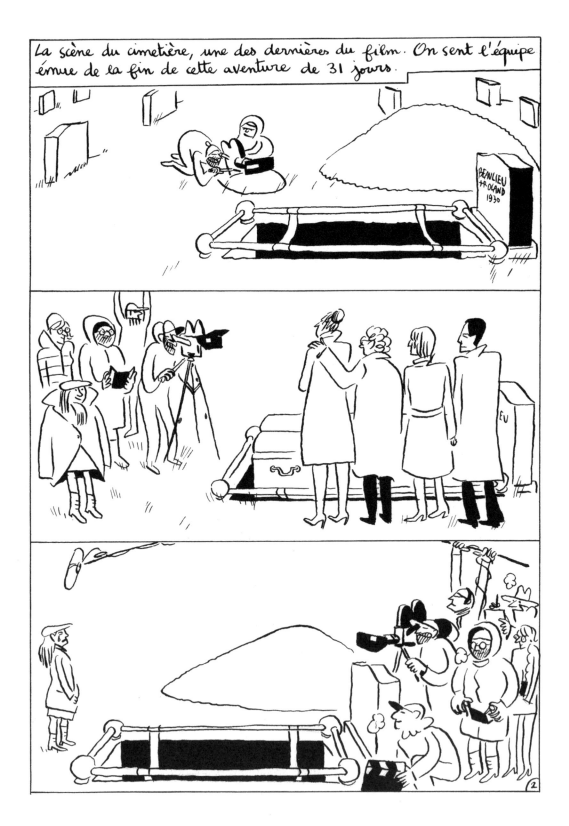

On a tous froid ce mardi matin près du fleuve. On voudrait tous être sous la tente régie.

Chacun sa tuque!

son →

caméra

prod ↑

↑
scripte

réal

1ʳᵉ assistante

On vérifie la scène.

INTERLUDE

J'ai beaucoup ri en observant l'accessoiriste à l'église

Déjà il a scellé le cercueil pour qu'il soit étanche car il pleut.

C'est une loc le cercueil faudrait pas qu'il s'abîme

Et puis la scène où le curé jette de l'eau sur le cercueil a été refaite plein de fois...

...Et à chaque fois, entre 2 prises, il l'a essuyé avec soin.

ET encore.

HIN HIN

ET toujours.

Il est patient, mais au bout d'un moment il s'est demandé si le curé faisait pas exprès.

FROTTE

Il était lessivé! Il a dû se faire une fin de semaine tranquille.

Avec sa femme.

49

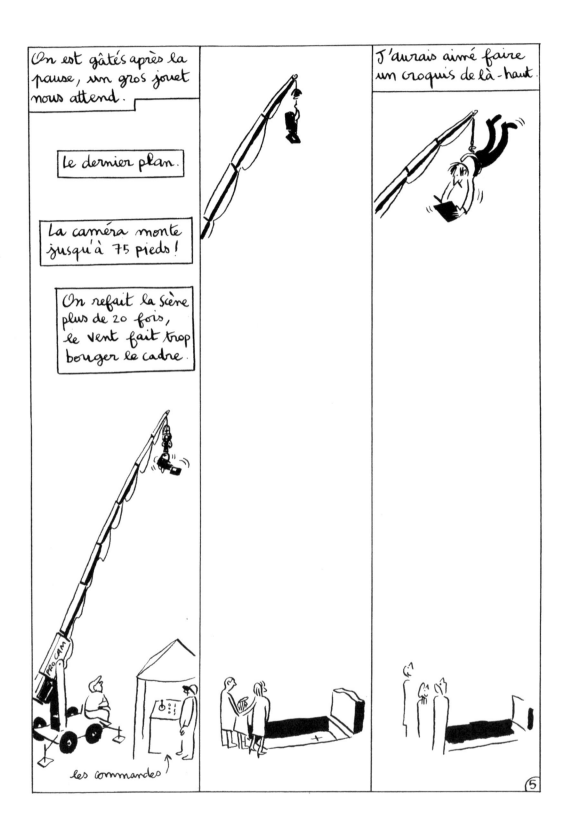

On est gâtés après la pause, un gros jouet nous attend.

Le dernier plan.

La caméra monte jusqu'à 75 pieds!

On refait la scène plus de 20 fois, le vent fait trop bouger le cadre.

PRO-CAM

les commandes

J'aurais aimé faire un croquis de là-haut.

⑤

Québec - Montréal, ce fameux trajet que Paul fait sans cesse dans le livre et le film.

Cyril Doisneau 2015

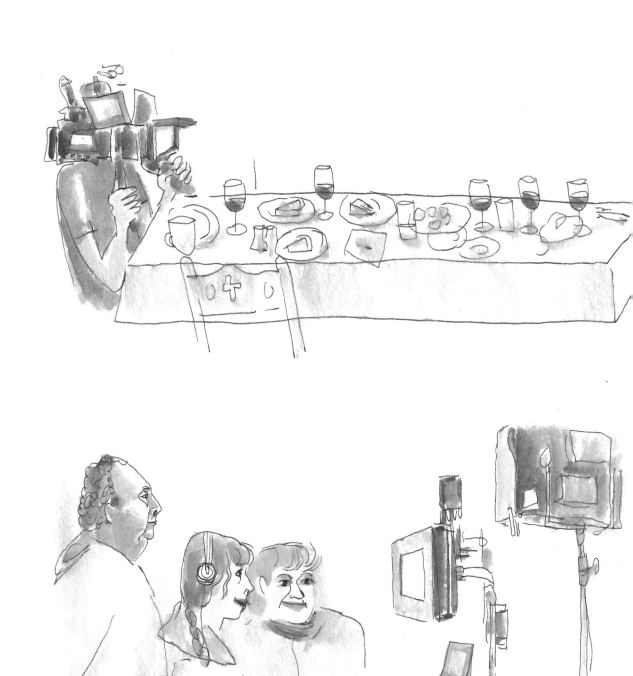

1982

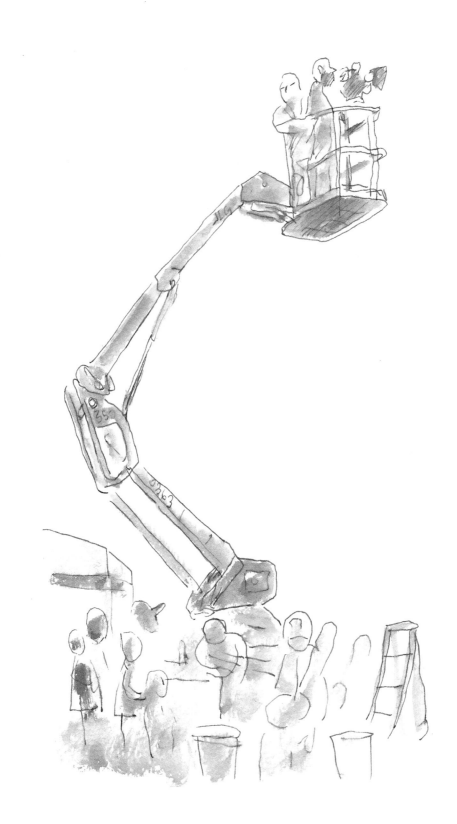

5h30
vendredi
maquillage

Nathalie & Karine

01 oct 2014. St. Laurent

MIXTE
Papier issu de
sources responsables
FSC® C100212

31 jours de tournage de Cyril Doisneau a été achevé d'imprimer en août 2015 par
l'imprimerie Gauvin à Gatineau, pour le compte de La Pastèque, éditeur de livres depuis 1998.